로블록스 코딩교실

로블록스 코딩교실

발　행 | 2024년 3월 7일
저　자 | 박수경
표　지 | 김정아
펴낸이 | 한건희
펴낸곳 | 주식회사 부크크
출판사등록 | 2014.07.15.(제2014-16호)
주　소 | 서울특별시 금천구 가산디지털1로 119 SK트윈타워 A동 305호
전　화 | 1670-8316
이메일 | info@bookk.co.kr

ISBN | 979-11-410-7534-7

로블록스 코딩교실

박수경 지음

메타버스 활용능력, 메타버스 제작 실습에 이어 어느덧 세 번째 책인 로블록스 코딩교실을 출판하게 되었습니다. 부족하지만 학생들과 수업하면서 반응이 좋았던 내용들로 구성했고 짧지만 유익하고 재미있는 내용으로 채웠습니다.

로블록스는 학생들에게 게임, 애니메이션, 스토리 등을 만들 수 있는 창의적인 플랫폼을 제공합니다.
학생들은 코딩을 통해 문제를 해결하고 목표를 달성하는 방법을 배우게 됩니다.

앞으로도 더 많은 학생들이 로블록스로 자신만의 게임을 만들면서 창의력, 문제 해결 능력, 협업 능력도 키우고 다양한 분야 지식 등을 습득하여 미래 사회에 대비할 수 있었으면 좋겠습니다.

2024년 봄
박수경 지음

CONTENT

CONTENT

제2장

로블록스 코딩교실

로블록스

메타버스란 나를 대신할 아바타를 이용해 상호작용하고 경제 · 사회 · 문화적 가치를 창출하는 세상입니다.
로블록스는 '메타버스'의 대표 플랫폼으로 미국의 10대들 사이에 선풍적인 인기를 끌고 있는 수 많은 게임들이 모여 있는 커다란 플랫폼입니다.

약 5000만 개 이상의 게임이 로블록스 플랫폼에 존재하고 있는데 놀랍게도 유통되는 게임 대부분이 초등학생들에 의해 직접 제작된 것으로 게임을 만들고 이를 유통해 수익까지 창출할 수 있습니다.
로블록스 게임을 플레이하기 위해서는 로블록스 플레이어가 필요하고, 게임을 만들기 위해서는 로블록스 스튜디오가 별도로 존재합니다. 로블록스 웹페이지에서 플레이하고 싶은 게임을 선택하면 자동으로 다운로드 및 설치되고, 로블록스 스튜디오는 직접 설치해야 합니다.
로블록스 스튜디오는 로블록스 서버와 연결됩니다. 그렇기 때문에 자신의 게임을 직접 제작/배포가 가능합니다.

이 책에서는 실제 학생들이 로블록스 스튜디오로 기본적인 모델링과 텍스트 코딩을 통해 간단한 게임을 제작해 보는 수업 내용을 담았습니다.

로블록스 스튜디오

1-1 파트 속성과 효과

새로만들기 - Baseplate를 클릭.

기본적으로 우측에 탐색기 창과 속성 창을 띄워 놓습니다.

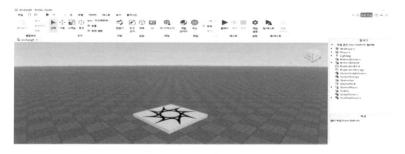

없다면 보기 탭에서 탐색기와 속성을 클릭 합니다.

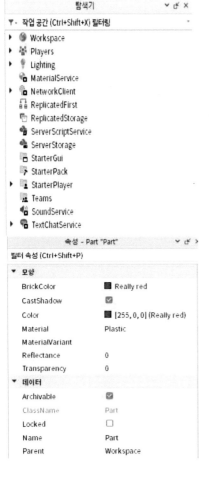

탐색기 창은 윈도우의 파일
탐색기와 같이 작업 공간의
구조를 보여줍니다.

속성 창은 탐색기에서 선
택한 요소들의 속성과 값
을 보여주고 편집할 수 있
습니다.

〈기본 동작〉

▸ 방향 조정 : 우측 상단 큐브를 클릭하거나
본인이 원하는 만큼 방향을 바꾸려면 마우스 우 클릭 상태
로 상, 하, 좌, 우로 드래그 합니다.

▸ 축소와 확대 : 마우스 휠을 상 또는 하로 굴리면 확대 축

소가 가능합니다.

‣ 화면이동 : 휠을 클릭하면 마우스 포인터가 손바닥 모양으로 바뀐다. 휠을 클릭한 상태로 상, 하, 좌, 우로 화면을 이동할 수 있습니다.

‣ 복제 : Ctrl+D, 복제의 경우 겹쳐져서 복제가 되기 때문에 아무런 변동이 없어 보이지만, 복제한 후 이동 버튼으로 이동을 하면 나타납니다.

실행취소-Ctrl+Z 복사, 붙여넣기 - Ctrl+C, Ctrl+V

‣ Spawn Location : 실행했을 때 아바타가 처음 등장 하는 곳입니다.

선택버튼, 이동버튼, 스케일버튼, 회전버튼은 개체를 선택하고 이동하고 크기를 조정하고, 회전하기 위한 도구들로 중요합니다. 도구 아이콘들은 홈탭과 모델탭 양쪽에 있습니다.

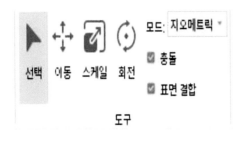

때로 선택 버튼이 클릭되지 되지 않았을 때는 개체가 선택되지 않습니다.

탐색기 창과 속성창이 나타나지 않을 때는 보기 탭에서 탐색기와 속성 버튼을 클릭하여 나타나도록 합니다.

파트에는 블록, 구, 쐐기, 코너쐐기, 원통 5가지의 파트들이 있다. 그 중 블록 파트를 클릭하면 작업 창에 블록 파트가 나타나고 탐색기 창에도 Part가 생성된 것이 보입니다.

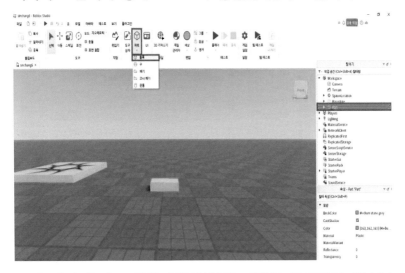

모델 탭의 효과 도구를 클릭한하면 다양한 효과들이 있습니

다. 그 중 Fire 효과를 클릭하면 파트에 불이 붙는 것을 볼
수 있습니다.

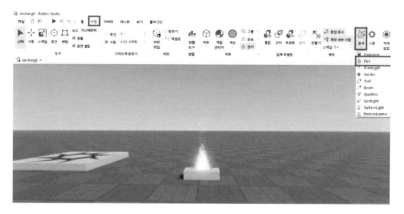

탐색기 창을 보면
파트 아래 Fire 효
과가 들어가 있는
것이 보입니다. 불
을 지우려면 Fire가
선택된   상태에서
Delete 키를 누르
면 삭제 됩니다. 가끔 Part가 선택된 상태에서 Del키를 눌
러 지우는 경우에는 블록 파트 전체가 삭제됩니다.

파트 3개를 꺼내어 효과를 Fire효과, Sparkles,
ParticleEmitter 효과를 각각의 파트에 순서대로 적용해 봅시다.

탐색기 창을 살펴보면 다음과 같습니다.

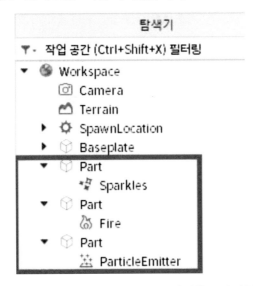

스파클의 색상과 파티클 에미터의 색상을 변경하려면 속성 창의 Color를 변경해 주면 됩니다.

스파클의 색상을 연두색으로 변경해 봅시다.

탐색기 창에서 Sparkles가 선택되어 있어야 Sparkles 속성

이 속성 창에 뜬다. 속성 창의 SparkleColor의 색상을 클릭하면 색상표가 뜨고 거기서 연두빛 색상을 선택해서 바꿔봅니다.

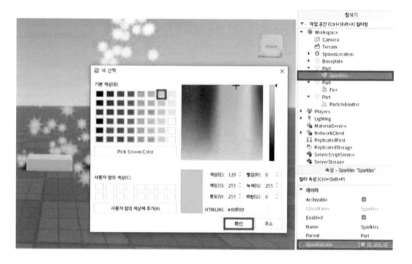

파티클 에미터의 색상은 무지개 색으로 변경해 봅니다. 탐색기 창에서 ParticleEmitter가 선택되어 있다면 아래 속성 창에서 Color에 클릭합니다. Color 끝에 ...버튼이 생성됩니다.

...버튼을 클릭하면 다양한 색상을 넣을 수 있습니다. 원하는 위치에 클릭해서 삼각형 표시를 넣고 색상표에서 색상을 선택하면 됩니다. 무지개 색상을 넣어 봅시다.

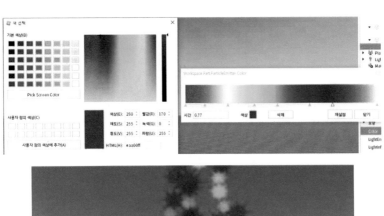

초등학교 로블록스 코딩교실

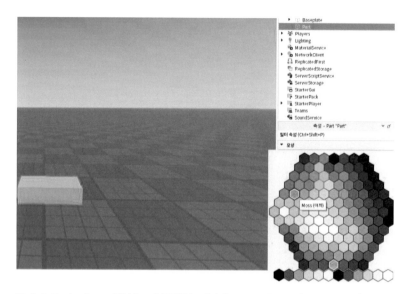

BrickColor는 색상 이름이 나오고, Color는 RGB(Red, Green, Blue)값을 입력하여 색상을 변경합니다. RGB값은 0~255까지이며 빛의 삼원색 원리로 나타냅니다.

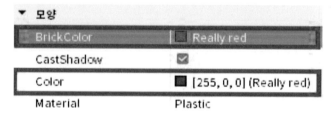

 앵커는 모델이나 파트를 고정시킬 때 클릭하는 것으로 속성 창에서 Anchored에 체크를 해도 같은 결과를 나타냅니다.

1-2 입체 모델링

모델 탭의 입체 모델링에 대해 배워봅시다.
소파도 만들어 볼까요? 구를 하나 꺼내 핑크색으로 변경합
니다.

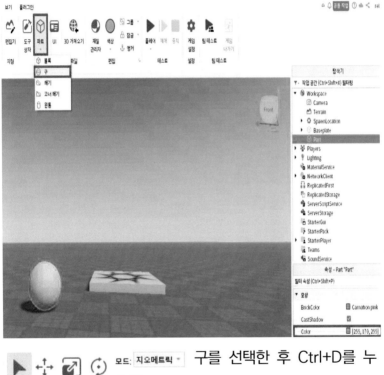

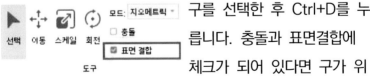 구를 선택한 후 Ctrl+D를 누
릅니다. 충돌과 표면결합에
체크가 되어 있다면 구가 위
로 하나 더 생깁니다.

충돌 체크를 꺼 주고 이동 버튼을 클릭한 후 방향을 틀어서
아래와 같은 형태로 겹치도록 배치합니다.

스케일 버튼을 클릭하여 위의 구 크기를 줄여서 아래와 같
이 배치 합니다.

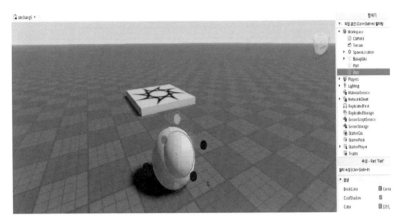

위에 있는 구를 입체모형에서 무효화 버튼을 클릭합니다.
색상이 진한 핑크색으로 변화됩니다.

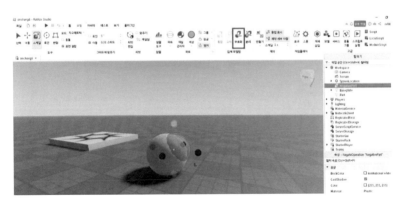

두 도형을 드래그해서 모두 선택한 후 통합 버튼을 클릭.

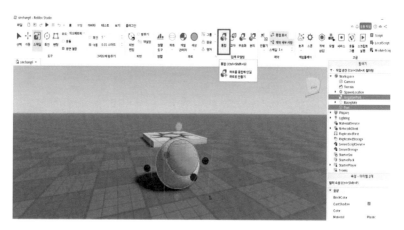

뚫려있는 모형이 되면서 Union으로 변경됩니다.

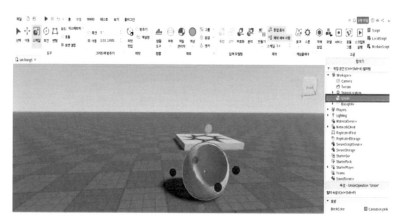

만들어진 소파에 앉을 수 있는 Seat를 삽입 해 봅시다.

탐색기 창에서 Union 옆에 까만 플러스버튼을 클릭해서 Seat를 선택. 또는 검색 창에 Seat라고 입력한 후 Seat를 클릭해도 됩니다.

삽입된 Seat를 스케일로 크기를 조정하고 이동 버튼으로
적당한 위치로 이동 시킵니다.

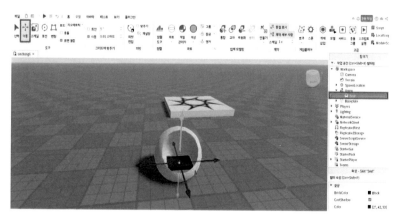

Seat의 속성 창에서 Transparency를 클릭해서 키보드로
값을 1로 입력해 줍니다. 1은 투명, 0은 불투명.

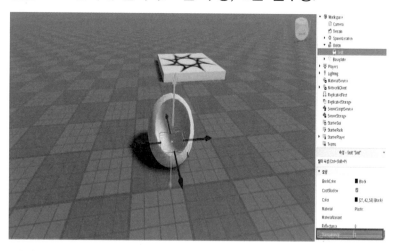

앵커로 고정 시킨 후 실행 시켜봅니다.

만들어진 소파가 둥근 형태이기 때문에 앵커로 고정시키는
것이 중요합니다.

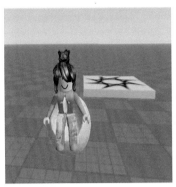 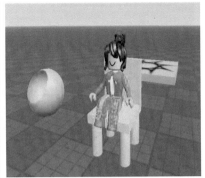

의자도 만들어서 Seat를 삽입해 실행시켜 봅시다.

원통으로 화장지도 만들어 봅시다. 통합으로 합치기 전에

색상을 변경하여 색상 화장지도 만들어 봅니다.

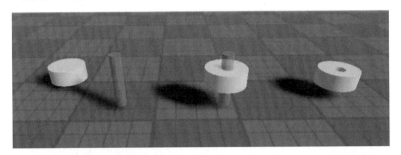

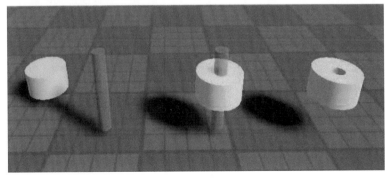

1-3 재질 관리자_Material

재질 관리자 또는 Material에서 다양한 재질을 선택하여 구체적으로 표현할 수 있습니다. 앉는 부분은 Fabric을 다리는 Wood 재질을 선택하여 표현한 의자 Seat를 엎어 앉을 수 있게 해 봅시다.

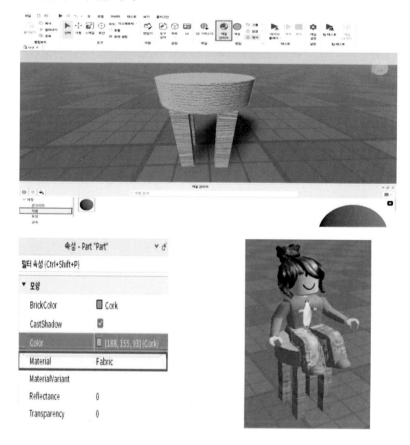

1-4 모델 만들기

작업 창에서 전체 파트들을 드래그 한 후 마우스 오른쪽 버튼(우클릭)을 눌러 모델로 그룹화를 클릭합니다.

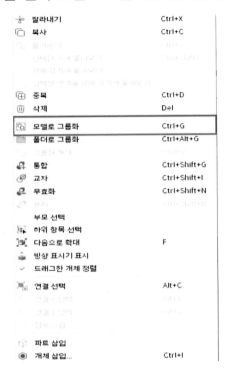

여러 파트들이 탐색기 창에 Model로 그룹화되었습니다.

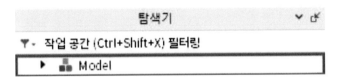

탐색기 창의 Model에 마우스 오른쪽 버튼을 눌러 이번에는 Roblox에 저장을 클릭합니다.

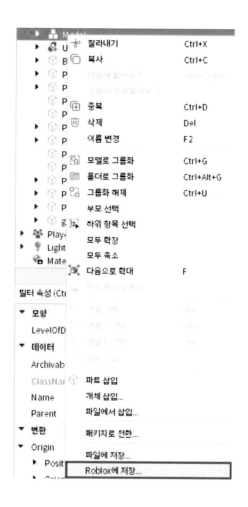

제목과 설명에 Fabric_Chair 라는 이름을 주고 제출 버튼
을 클릭합니다.

업로드가 완료되면 닫기 버튼을 클릭합니다.

도구상자에서 꺼내봅시다. 내 모델 버튼을 클릭하면 방금 만들어서 저장한 Fabric_Chair가 들어 있는 것이 보입니다. 클릭해서 작업 창에 꺼내 봅니다.

잘 만든 모델은 이처럼 도구상자의 내 모델에 저장해서 언제든지 다른 작업 창에서도 꺼내 사용할 수 있습니다.

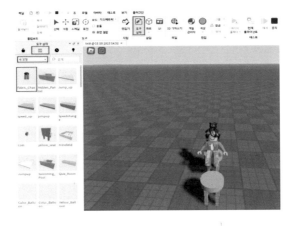

1-5 눈 내리는 풍경

눈 내리는 효과 – 파트에 파티클 에미터 효과를 주고, 파
트를 위로 이동 합니다. 눈이 위로 올라가기 때문에 회전
버튼을 눌러 90도 회전 후 파트의 속성 창에서 투명도
Transparency 값을 1로 만듭니다.
유리창 효과 – Transparency 값을 0.8
조명 – 구의 색상을 흰색, Material을 Neon으로 설정
로블록스로 다양한 이야기들을 만들 수 있습니다.
벽, 눈, 조명 등 모든 구조물은 앵커로 고정합니다.

1-6 3D 가져오기

3D 그림판을 실행합니다. 캔버스를 투명 캔버스로 변경합니다.

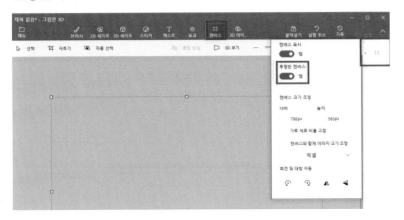

3D 라이브러리에서 puppy를 검색 강아지

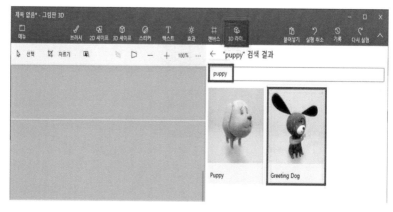

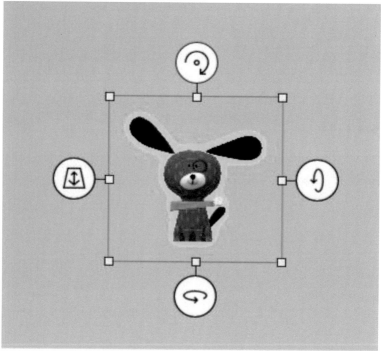

메뉴를 클릭합니다.

다른 이름으로 저장 - 3D 모델을 클릭합니다.

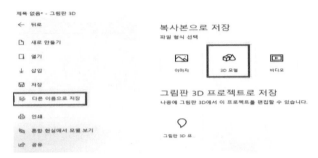

파일 형식을 FBX로 저장합니다. 최근에 파일 형식에서 FBX 형식으로 저장하는 기능이 없어졌습니다. GLB와 3MF 형식만 나타납니다. 그래도 FBX로 저장합니다.

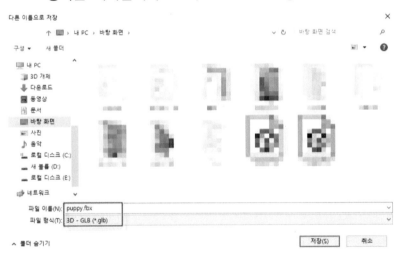

로블록스 스튜디오의 홈 탭에서 3D 가져오기를 클릭하여 저장된 파일을 열기 버튼으로 가져옵니다.

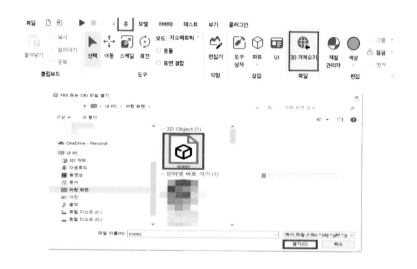

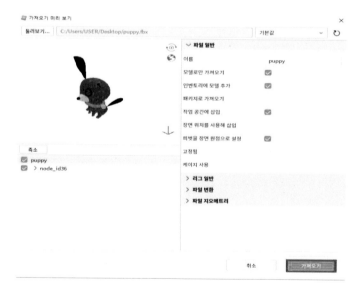

크기가 너무 작게 나타나기 때문에 크기를 키우고
위치를 조정합니다.

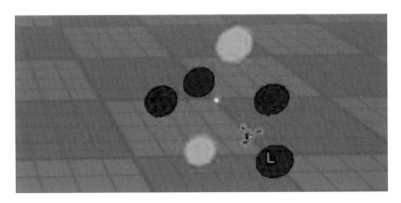

구 파트로 만든 눈사람 곁에 강아지를 배치해 봅니다.

다른 3D모델도 가져와 풍성하게 만들어 봅시다.

1-7 비 내리는 풍경

효과에서 파티클 효과의 색상을 회색으로 선택한 후

파티클 속성 창에서 Squash 값을 조정해 주면 됩니다.

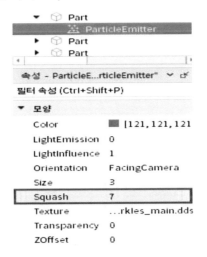

1-8 눈 쌓인 바닥

바닥에 눈이 쌓인 효과를 만들기 위해서 재질효과를 사용합니다. 탐색기 창에서 Baseplate를 선택한 후 속성 창에서 Color는 흰색, Meterial은 Sand를 선택합니다. Snow 효과보다 Sand 효과가 더 눈 쌓인 느낌이 큽니다. Baseplate아래의 Texture는 Delete로 삭제합니다.

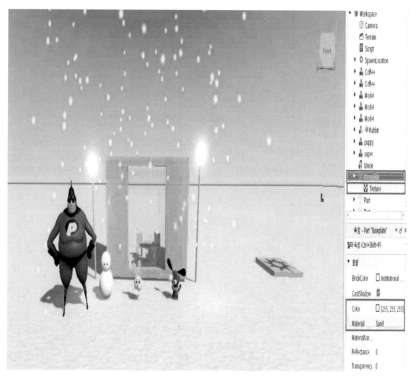

바닥에 눈이 쌓인 효과가 완성되었습니다!

1-9 놀이터

Baseplate의 속성을 Sand로 설정 후 색상 변경
Baseplate 아래 Texture는 Delete로 삭제합니다.

Meterial-Brick, 색상은 갈색으로 지정해 봅시다.

1-10 벽 통과하기

모델링에서 파트를 겹쳐서 새로운 모양을 만들거나
벽을 만들어 벽을 통과하도록 하고 싶다면 파트 속성 창에
서 CanCollide 속성 체크를 꺼 주면 됩니다. 체크를 꺼 주
고 벽은 앵커로 잡아 준 후 실행 시켜 봅니다.

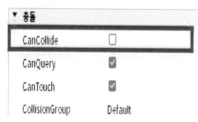

1-11 레고 블록

홈 탭의 도구상자 아이콘을 누르면 도구상자가 열림.
플러그인으로 선택하고 building라고 검색어를 입력하면
Building Tools F3X 플러그인이 검색됩니다.
플러그인을 클릭하고 설치합니다.

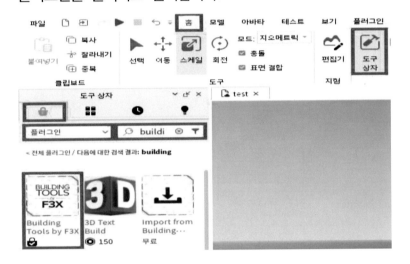

도구상자 툴은 닫고 플러그인 탭을 클릭해 보면 아이콘이
활성화된 것을 볼 수 있습니다.

파트를 하나 생성해서 녹색으로 색상을 준 후 설치했던
Building 버튼을 클릭하면 좌, 우측에 도구가 뜹니다.
우측에서 정육면체 B를 클릭하고 좌측에서 Side는 ALL로
선택 후 Type은 Studs를 클릭하면 레고 블록으로 만들어
집니다.

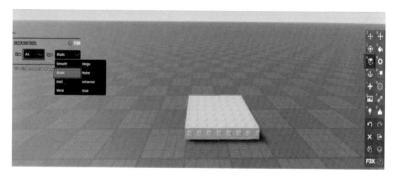

다시 Building 버튼을 클릭하면 좌우 측에 나타났던 도구
들도 사라집니다.

레고 블록으로 다양한 게임을 만들어 봅시다.

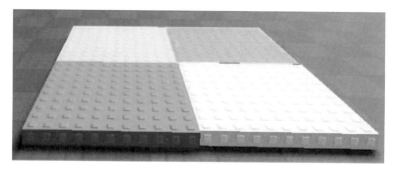

1-12 플레이어에 장식 달아주기

도구상자에서 모델그룹 안에 accessory라고 검색 후
Dominus accessory를 선택 합니다.

우측 탐색기 창에 들어온 것이 보입니다.

우클릭 잘라내기 한 후

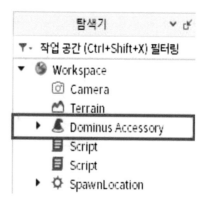

아래로 쭉 내려와 StarterPlayer 아래
StarterCharacterScripts를 선택 후 마우스 우클릭
「다음에 붙여 넣기」를 클릭합니다.

StarterCharacterScripts 아래에 붙여졌습니다.

플레이 해 봅시다.

실습

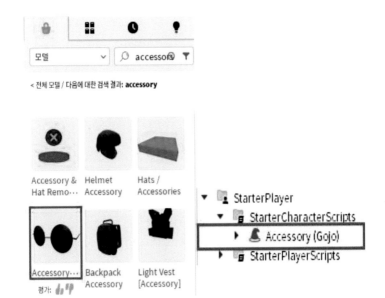

이번에는 선그라스를 가져와 봅시다.

플레이 해 봅시다.

1-13 자동회전파트

파트 2개를 생성하여 아래 파트는 높이를 높여주고 위 파트는 가로세로 길이를 넓혀줍니다. 위 파트는 색상을 검정색으로 선택해 줍니다.

모델 탭의 만들기에서 힌지를 클릭한 후 아래 파트 중심에서 위 파트 중심으로 연결해 줍니다. 힌지 선은 클릭 했을 때만 보이므로 위치를 잘 조정해서 연결해 줍니다. 잘 못 연결되었다면 지우고 다시 연결해 줍니다. 반드시 직선으로 연결하지 않아도 괜찮습니다.

아래 파트는 앵커로 고정시켜 주고 위 파트는 회전이 되어야 하므로 앵커로 고정하지 않습니다. 힌지의 속성 중 ActuatorType ： None을 클릭하여 Motor로 선택해 줍니다. 모터 속도를 2로 변경합니다.

마지막으로 아래 파트를 투명하게 처리하기 위해서 아래 파트의 Transparency를 1로 수정합니다.

회전이 잘 되는지 실행시켜 봅니다.

1-14 트레일 효과

트레일 효과는 움직이는 파트에 나타나는 효과로 회전 파트에 연결해 확인할 수 있습니다. 회전파트의 탐색기창 구조를 보면 다음과 같습니다.

아래 파트에 Attachment0과 HingeConstraint가 위 파트에는 Attachment1이 붙어 있습니다. 모델 탭 만들기에서 첨부 Attachment를 위 파트의 좌측과 우측에 차례로 하나씩 2개를 붙여줍니다. 이때 이름이 혼동되므로 이름 변경을 해줍니다.

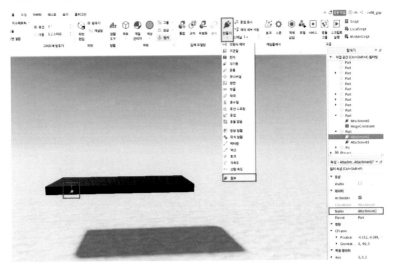

좌측에 붙인 첨부 이름은 속성 창의 Name에서
Attachment에 숫자2를 붙여서 이름을 Attachment2로
우측에 붙인 첨부는 Attachment에 3을 붙여
Attachment3 으로 이름을 수정해 줍니다.

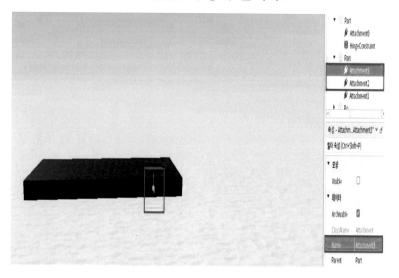

탐색기 창에서 위 파트에 Attachment1은 힌지와 연결된
첨부이고, Attachment2와 Attachment3는 트레일 효과
를 주기 위한 첨부입니다.

위 파트를 선택 한 후 효과에서 트레일 효과를 추가합니
다.

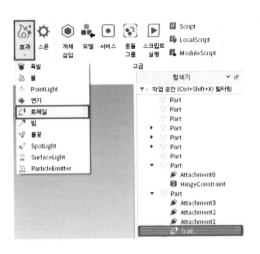

트레일 속성 창에서 Attachment0 우측 빈 공간에 클릭하면 마우스 포인터 모양이 연결포인터 모양으로 바뀌는데 그때 위쪽 탐색기 창의 Attachment2를 클릭하고, 다시 한번 트레일 속성 창의 Attachment1의 우측 빈 공간에 클릭한 후 연결포인터로 바뀌면 탐색기 창의 Attachment3을 클릭해 줍니다.

마지막으로 트레일의 속성에서 Color을 변경합니다. 트레일 효과가 무지개 색으로 나타나게 색상을 변경하려면 트레일 Color 옆 ...단추를 클릭하여 색상표가 나타나게 합니다. 앞에 언급한 파티클에미터의 무지개 색상 주는 방법과 동일합니다.

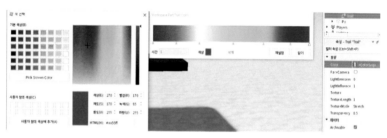

실행시켜 봅니다. 다른 효과와 함께 실행시켜 봅니다.

1-15 무지개 망토 악세사리 만들기

블록파트를 하나 생성하여 회전으로 세웁니다.

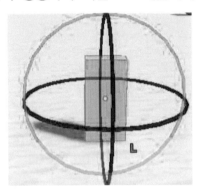

파트의 속성 창에서 Name을 Handle로 수정합니다.

모델 탭의 만들기에서 첨부를 위에 하나 만들고 이름은 Attachment1로 수정합니다.

첨부를 아래 쪽에 하나 더 만들고 이름은 Attachment2로 수정합니다.

다시 파트를 선택한 후 효과에서 트레일을 줍니다.

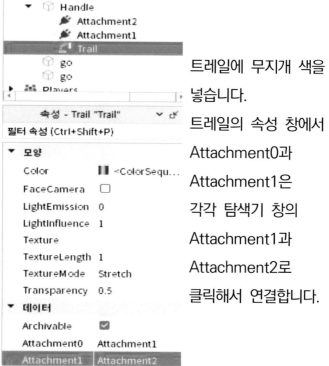

트레일에 무지개 색을
넣습니다.
트레일의 속성 창에서
Attachment0과
Attachment1은
각각 탐색기 창의
Attachment1과
Attachment2로
클릭해서 연결합니다.

Workspace에서 까만더하기를 눌러 Accessory 개체를 삽입합니다.

Handle 파트를 잘라내어 Accessory 안으로 넣습니다.

Accessory선택 후 우클릭 잘라내기 후 StarterCharacterScripts를 선택 후 우클릭 「다음에 붙여넣기」를 클릭해서 넣습니다.

홈 탭에서 실행시켜 봅시다.

머리 위로 써졌습니다. 등 뒤로 위치를 조정하기 위해서 플러그인을 하나 설치하겠습니다.

도구상자를 꺼내어 플러그인에 맞추고 Accessory Grip Editor를 입력하여 검색한 후 설치 합니다.

Tool Grip Editor

CloneTrooper1019

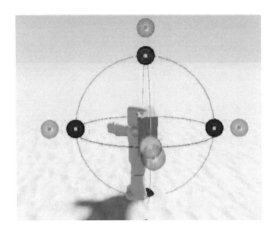

방향을 조정하여 등 뒤로 보내면 됩니다.

Tool Grip Editor 버튼을 눌러 모형이 사라지면 홈탭에서
플레이 해 봅니다. 위치가 완벽하게 되었다면 마지막으로
Handle파트를 Transparency를 1로 수정하여 투명하게
합니다. 실행시켜 봅시다. 움직이면 따라다니는 무지개 망
토가 완성되었습니다.

코딩 익히기

로블록스에서는 코딩을 몰라도 도구상자를 이용하거나 기타 다른 효과들을 이용하여 게임을 만들 수 있습니다. 그러나 내가 원하는 대로 상호작용하기 위해서, 좀 더 재미있는 게임을 만들기 위해서 코딩을 배웁니다.

코딩을 하기 위해서는 스크립트 창이 필요한데 스크립트 창을 여는 방법은 다음과 같습니다.

탐색기 창에서 파트 옆에 마우스를 갖다 대면 까만색 더하기 표시가 나오는데 그곳을 클릭하여 Script 창을 클릭하는 방법과 모델 탭에서 개체삽입 아이콘을 누르면 나타나는 기본개체삽입 창에서 원하는 개체를 클릭하면 됩니다.

2-1 자동으로 색상이 변하는 컬러파트 만들기

플레이를 했을 때 자동으로 색상이 변하는 컬러파트를 만들어 봅시다. 파트를 삽입한 후 탐색기 창에서 Part에 마우스 포인터를 갖다대면 까만 더하기 버튼이 생깁니다. 그 곳에 클릭해서 Script를 클릭합니다.

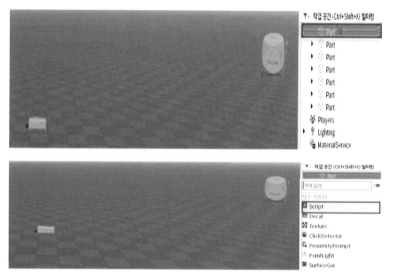

탐색기 창에서는 파트 아래 스크립트 창이 생성되었고 작업창 위로 script창이 열렸습니다.

print("Hello world!")라고 나와 있습니다.
print("Hello world!")를 Delete 키로 지워줍니다.

로블록스는 Lua 프로그램을 사용합니다.

루아에서 local 키워드는 지역 변수를 선언하는 데 사용됩니다. 지역 변수는 함수 또는 코드 블록 내에서만 액세스할 수 있는 변수이며, 전역 변수는 함수 또는 코드 블록 외부에서 액세스할 수 있는 변수입니다.

local을 사용하는 이유는 함수 또는 코드 블록 내에서 선언된 지역 변수의 이름이 전역 변수의 이름과 일치하더라도 충돌이 발생하지 않습니다.

또한 지역 변수 사용은 메모리 사용량을 줄입니다. 전역 변수는 함수 또는 코드 블록 외부에서 액세스할 수 있으므로 스크립트가 종료될 때까지 메모리에 유지되지만 local을 사용하면 지역 변수는 함수 또는 코드 블록 내에서만 사용되므로 스크립트가 종료되면 메모리에서 해제됩니다.

따라서 루아에서 코드를 작성할 때는 가능한 한 local을
사용하여 지역 변수를 선언하는 것이 좋습니다.

```
local Part = script.Parent
while true do
        Part.BrickColor = BrickColor.Random()
        wait(2)
end
```

[코드 설명]

1. 파트 가져오기 -〉 스크립트가 붙어 있는 경로

첫 번째 줄 local Part = script.Parent는 스크립트가 붙
어 있는 객체를 참조하여 변수 Part에 저장합니다. 이 경
우 스크립트가 파트에 직접 붙어 있다고 가정합니다.

2. 무한 루프

두 번째 줄 while true do는 조건 true가 항상 참이므로
무한 루프를 시작합니다. 이 루프는 스크립트가 실행되는

동안 계속 실행됩니다.

3. 세 번째 줄 색상 무작위로 변경

Part.BrickColor = BrickColor.Random()은 다음 두 가지 작업을 수행합니다. Part.BrickColor는 Part 객체의 BrickColor 속성에 액세스하여 색상을 제어합니다.

BrickColor.Random()은 BrickColor 클래스의 Random() 함수를 호출하여 무작위 색상 값을 생성합니다. 할당 연산자 =을 사용하여 Part의 BrickColor 속성을 무작위로 생성된 색상으로 설정하여 외관을 변경합니다.

4. 일시 중지

네 번째 줄 wait(2)는 wait() 함수를 사용하여 스크립트 실행을 2초 동안 일시 중지합니다. 이것은 색상 변경 사이에 지연을 생성하여 효과를 더 눈에 띄게 만듭니다.

5. 다시 루프하기

다섯 번째 줄 end는 while 루프 내의 코드 블록의 끝을 표시합니다. wait(2)가 완료되면 코드 실행은 루프의 처음으로 돌아가서 색상 변경 프로세스를 다시 시작합니다.

요약하면, 이 코드는 플레이가 되었을 때 스크립트가 붙어 있는 파트의 색상을 2초마다 무작위 색상으로 계속 변경하여 끊임없이 변화하는 시각 효과를 만듭니다.

실행 시켜봅시다. 스크립트 창 앞의 작업 창 이름을
클릭하면 작업화면이 다시 나타납니다.

```
    local Part = script.Parent
  ▾ while true do
        Part.BrickColor = BrickColor.Random()
        wait(2)
    end
```

홈 탭에서 플레이 아이콘 아래 드롭다운 단추를 클릭하면
3가지 방식으로 실행시켜 볼 수 있습니다.

플레이는 스폰이 있는 곳에서 실행이 되고, 「여기서 플레
이」는 현재 포커스에서 실행이 되고, 「실행」은 작업창 상
태에서 실행을 시켜볼 수 있습니다.

아바타가 나타나지 않아도 실행되는 코드이므로 색상이 변
경되는지만 확인하면 되므로 「실행」을 클릭해 실행시켜 봅
시다.

2-2 근접 프롬프트 활용 – 색상 변경하기

파트에 스크립트를 삽입한 방법으로 이번에는
ProximityPrompt를 삽입해 봅시다. 속성 창에서 숫자를
수정 한 후 스크립트도 삽입하여 코드를 입력해 줍니다.

HoldDuration은 누르고 있는 시간을 의미하며,
MaxActivationDistance은 E키가 보여지는 영역 범위를
말합니다. 그리고 KeyboardKeyCode는 일반적으로 E로
설정되어 있지만 다른 키로 선택해도 됩니다.

```
local Part = script.Parent

function onT()
        Part.BrickColor = BrickColor.Random()
end
Part.ProximityPrompt.Triggered:Connect(onT)
```

이 코드는 플레이어가 파트에 접근하여 근접 프롬프트를
트리거하면 파트의 색상이 무작위로 변경되도록 하는 코드
입니다. 이는 플레이어의 관심을 끌거나 게임 내에서 특정
상호 작용을 나타내기 위해 사용됩니다.

근접프롬프트 활용 – 폭탄 만들기

가까이 갔을 때 근접 프롬프트가 나타나 폭탄이 터지는 코
드를 만들어 봅시다. 구 파트와 원통형 파트로 폭탄을 만

들어 봅시다. 둘 다 앵커로 고정
시켜줍니다. 폭탄 심에 해당하는
원통형 파트에는 Fire효과를 줍
니다. 아래 구 파트를 클릭한 후
탐색기 창에서 까만 더하기 버튼
을 눌러 ProximityPrompt를 추
가하고 Hold-2, Max-5로 설정합니다. 구 파트에 스크립
트를 추가한 후 아래 코드를 입력합니다.

```
local Part = script.Parent
function onT()
        local Bomb = Instance.new("Explosion",_
game.Workspace)
        Bomb.Position = Part.Position
end
Part.ProximityPrompt.Triggered:Connect(onT)
```

[코드 설명]

1. 파트 가져오기

local Part = script.Parent

스크립트가 붙어 있는 파트에 대한 참조를 가져와서 Po라는 변수에 저장합니다. 이렇게 하면 스크립트가 나중에 이 파트에 쉽게 접근할 수 있습니다.

2. 트리거 함수 정의

function onT(): 이 줄은 onT라는 함수를 정의합니다. 이 함수는 파트의 근접 프롬프트가 트리거될 때 실행됩니다.

3. 폭발 생성

local Bomb = Instance.new("Explosion", game.Workspace)

게임의 워크스페이스에 새로운 "Explosion" 개체 인스턴스를 생성합니다. 이는 시각적 폭발 효과를 나타냅니다. Bomb라는 변수에 저장됩니다.

4. 폭발 위치 설정

Bomb.Position = Part.Position

새로 생성된 폭발 개체의 위치를 파트의 위치와 동일하게 설정합니다. 이렇게 하면 폭발이 파트의 위치에서 발생합니다.

5. 근접 프롬프트에 연결

Part.ProximityPrompt.Triggered:Connect(onT):

파트의 근접 프롬프트에 연결하여 Triggered 이벤트가 발생할 때 onT 함수가 호출되도록 합니다.

근접 프롬프트는 플레이어가 파트에 가까이 다가갔을 때 표시되는 GUI 요소입니다. 플레이어가 프롬프트와 상호작용하면 Triggered 이벤트가 발생합니다.

이 코드는 플레이어가 파트에 접근하여 근접 프롬프트를 트리거하면 파트의 위치에서 폭발이 발생하도록 합니다. 이는 플레이어를 위협하거나 게임 내에서 특정 상호 작용을 나타내기 위해 사용될 수 있습니다.

[추가 참고]

- script.Parent는 스크립트가 연결된 객체를 가리킵니다. 이 경우 스크립트는 파트에 연결되어 있으므로 script.Parent는 해당 파트를 참조합니다.

- Instance.new() 함수는 Roblox에서 새 개체 인스턴스를 생성하는 데 사용됩니다.

- game.Workspace는 Roblox 게임의 개체를 담는 주요 컨테이너입니다.

- Position 속성은 객체의 3차원 공간에서 위치를 결정합니다.

- ProximityPrompt는 플레이어가 접근했을 때 작업을 트리거하는 GUI 요소입니다. Triggered 이벤트는 플레이어가 프롬프트와 상호 작용할 때 발생합니다.
- Connect 함수는 이벤트를 함수에 연결하는 데 사용됩니다. 이벤트가 발생하면 연결된 함수가 호출됩니다.

쐐기 파트를 하나 생성하고 쐐기 파트에 가까이 다가갔을 때 근접 프롬프트 E가 활성화 되고 E버튼을 누르면 불이 나오고 30초 후 자동으로 꺼지는 코드를 만들어 봅시다. 쐐기 파트를 만들고 Proximity Prompt와 Script를 추가합니다.

ProximityPrompt 속성 창
Hold-2, Max-5로 설정

Script를 삽입 후 코드를 입력합니다.

```
local Part = script.Parent

function onT3()
        local Fire = Instance.new("Fire")
        Fire.Parent = Part
        wait(30)
        Part.Fire:Destroy()
end
Part.ProximityPrompt.Triggered:Connect(onT3)
```

실행 시켜 봅시다. Fire대신 파티클 에미터나 스파클을 적
용 시켜 봅시다.

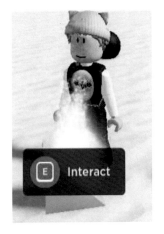

쐐기파트 2개를 더 만들어 하나는 파티클 에미터를
다른 하나는 스파클을 입력해 실행시켜 봅시다.

근접프롬프트 활용 - 파트 생성기

근접성프롬프트를 이용하여 자동색상 파트가 10개씩
생성되는 코드를 만들어 봅시다.
원통 파트를 하나 생성하여 노란색으로 변경 후 파트속성
창에서 Name 속성에서 Part라는 이름을 here로 변경합
니다.

원통형 파트가 있는 위치에 블록들이 만들어져야 하므로
정확한 위치를 알려주기 위해 파트 이름을 변경합니다.

원통 파트 아래 근접성프롬프트와 스크립트를 추가합니다.
근접성프롬프트 속성에 Hold-2, Max-5로 설정합니다.

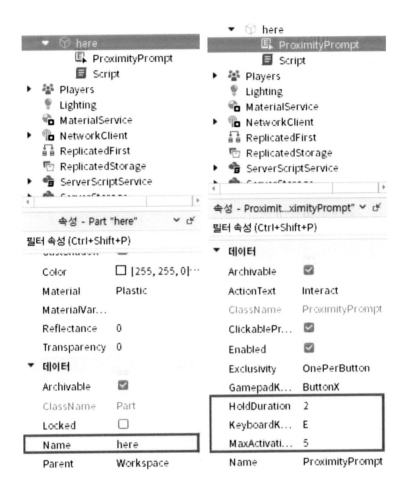

스크립트 창에 다음과 같이 코드를 입력 후 작업 창으로
이동 후 플레이 해 봅니다.

```
1    local here = script.Parent
2  ▼ function onT(here)
3        local here = script.Parent
4  ▼     for i = 1, 10 do
5            local bb = Instance.new("Part", workspace)
6            bb.BrickColor = BrickColor.Random()
7            wait()
8            bb.Position = here.Position
9        end
10   end
11   here.ProximityPrompt.Triggered:Connect(onT)
```

근접성 프롬프트가 활성화 되어 있다면 T버튼을 눌러서
계속해서 벽돌 10개씩을 생성할 수 있습니다.

근접프롬프트 활용 – 문 열고 닫기

파트로 문을 하나 만들고 파트 이름을 Edoor라고 수정합니다. 파트를 복제하여 크기 조정 후 문 틀을 오른 쪽에 붙입니다. 까만색으로 색을 바꿔서 눈에 띄게 만들어 줍니다. 문 틀에 해당하는 파트 이름은 DoorPart라고 수정합니다.

Edoor에 마우스를 대고 까만더하기 버튼이 나타나면 ProximityPrompt 개체를 삽입합니다. 속성은 Hold – 2, Max-10 ObjectText에 E를 눌러주세요 라고 입력합니다.

디자인 부분인 문 손잡이 부분과 재질변경은 마지막에 해도 되고 안해도 됩니다.

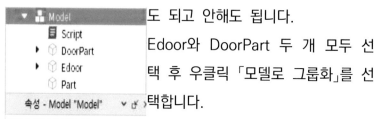

Edoor와 DoorPart 두 개 모두 선택 후 우클릭 「모델로 그룹화」를 선택합니다.

탐색기 창에서 모델을 선택 후 속성 창에서 PrimaryPart 옆의 빈칸에 클릭 후 마우스 포인터 모양이 바뀌면 탐색기 창의 DoorPart를 클릭합니다.

그러면 그 자리에 DoorPart가 들어갑니다.

Edoor에 Material을 WoodPlanks로 하고 Color는 오렌지 계열로 설정합니다.

손잡이를 나중에 만들 때는 Model 그룹 안으로 입력이 되도록 위치 조정을 해 줍니다.

Model에 Script를 추가하고 다음과 같이 코드를 입력합니다.

```lua
local service = _
game:GetService("ProximityPromptService")
local value = false
local Proximity = _
 script.Parent.Edoor.ProximityPrompt


local function Door(Proximity, plr)
        if not value then
                Proximity.ActionText = "CLOSE"
                for i = 1, 15 do
                script.Parent:SetPrimaryPartCFrame(
script.Parent.DoorPart.CFrame * CFrame.Angles(0,
math.rad(-10), 0)
                )
                wait()
                end
                value = true
        else
                Proximity.ActionText = "OPEN"
                for i = 1, 15 do
                script.Parent:SetPrimaryPartCFrame(
script.Parent.DoorPart.CFrame * CFrame.Angles(0,
math.rad(10), 0)
```

```
                        )
                                        wait()
                        end
                        value = false
end
        end

service.PromptTriggered:Connect(Door)
```

[코드 해석]

1. 서비스 연결

local service = _

game:GetService("ProximityPromptService")

이 줄은 게임 내 근접 프롬프트 서비스를 가져와서 service 변수에 저장합니다.

2. 값 설정

local value = false: 이 줄은 value라는 변수를 만들고 초기값으로 false를 저장합니다. 이 변수는 문을 열어야 하는지 닫아야 하는지 추적하는 데 사용됩니다.

3. 근접 프롬프트 얻기

local Proximity = _

script.Parent.Edoor.ProximityPrompt

이 줄은 스크립트의 부모 요소인 Edoor에 포함된 근접 프롬프트를 가져와서 Proximity 변수에 저장합니다. 이 근접 프롬프트는 문이 열리고 닫힐 때 플레이어에게 표시되는 프롬프트입니다.

4. 문 열고 닫는 함수

local function Door(Proximity, plr)

이 줄은 Door라는 함수를 정의합니다. 이 함수는 플레이어가 근접 프롬프트와 상호작용했을 때 호출됩니다.

파라미터: Proximity - 상호작용한 근접 프롬프트,

plr - 상호작용한 플레이어

5. 문 열기 로직

if not value then

이 조건문은 value 변수의 값이 false인 경우에만 실행됩니다. 즉, 문이 현재 닫혀 있는 경우입니다.

Proximity.ActionText = "CLOSE“

근접 프롬프트의 텍스트를 "CLOSE"로 설정합니다.

15번 반복하는 루프

script.Parent:SetPrimaryPartCFrame(...): 이 줄은 문을 10도씩 회전시켜 닫습니다.

wait(): 이 줄은 1초 동안 대기하는 효과를 줍니다.

value = true 문을 닫은 후 value 변수를 true로 설정하

여 문이 닫혀 있음을 나타냅니다.

6. 문 닫기 로직

else 이 블록은 문이 현재 열린 경우, 즉 value 변수의 값이 true인 경우에 실행됩니다.

Proximity.ActionText = "OPEN" 근접 프롬프트의 텍스트를 "OPEN"으로 설정합니다.

15번 반복하는 루프:

script.Parent:SetPrimaryPartCFrame(...) 이 줄은 문을 -10도씩 회전시켜 엽니다.

wait(): 이 줄은 1초 동안 대기하는 효과를 줍니다.

value = false 문을 연 후 value 변수를 false로 설정하여 문이 열려 있음을 나타냅니다.

7. 이벤트 연결:

service.PromptTriggered:Connect(Door)

이 줄은 ProximityPromptService의 PromptTriggered 이벤트에 Door 함수를 연결합니다. 즉, 플레이어가 근접 프롬프트와 상호작용할 때마다 Door 함수가 호출됩니다.

2-3 킬 블록 만들기

파트를 하나 만들고 스크립트를 추가하여 다음과 같이 코드를 입력합니다. 영어 대소문자를 정확하게 입력해야 실행됩니다.

```
1  ▼ function onT(Part)
2        local h = Part.Parent:findFirstChild("Humanoid")
3        h.Health = h.Health-100
4    end
5    script.Parent.Touched:Connect(onT)
```

[코드 해석]
이 코드는 스크립트가 있는 객체가 닿을 때 "Humanoid" 캐릭터의 체력을 감소시키도록 만들었습니다.

function onT(Part): 이 줄은 하나의 인수, Part 객체를 받는 onT라는 함수를 정의합니다.

Humanoid 검색
local h = Part.Parent:findFirstChild("Humanoid"): 함수 내에서 h라는 지역 변수가 생성됩니다. 스크립트가 있는 객체의 부모 (Part.Parent)의 첫 번째 자식 중 이름이 "Humanoid"인 객체를 저장합니다.

이것은 영향을 주고자 하는 "Humanoid" 객체가 스크립트
가 있는 객체의 직접적인 자식이라고 가정합니다.

체력 감소

h.Health = h.Health – 100: "Humanoid" 객체가 발견
되면 Health 속성을 직접 수정하여 100을 뺍니다. 이것은
캐릭터에게 100 피해를 입힙니다.

터치 이벤트 연결

script.Parent.Touched:Connect(onT):

스크립트가 있는 객체의 Touched 이벤트를 onT 함수에
연결합니다. 객체가 닿을 때마다 onT 함수가 호출되어 잠
재적으로 "Humanoid" 캐릭터에 피해를 줍니다.

홈 탭에서 플레이시켜 봅시다.

움직이는 킬 블록1

파트 종류 중 코너쐐기, 쐐기, 원통 파트를 생성하고 색상을 빨간색으로 변경한 후 각 파트의 스크립트에 킬블럭 코드를 입력합니다.

코너쐐기 파트가 선택된 상태에서 모델 탭의 만들기-각속도를 클릭하면 마우스 포인터가 변경됩니다. 이때 코너 쐐기파트를 다시 한번 클릭해 줍니다.

이런 방법으로 쐐기와 원통 파트도 각속도를 줍니다.

탐색기 창에서 첫 번째 코너쐐기 파트 아래 AngularVelocity를 클릭한 후 아래 속성 창에서

AngularVelocity 값 1, 0, 0 은 그대로 둡니다.

두 번째 쐐기 파트의 AngularVelocity를 클릭 한 후 속성 창의 AngularVelocity 값을 0, 1, 0으로 변경,세 번째 원통 파트의 AngularVelocity를 클릭한 후 속성 창의 AngularVelocity 값을 0, 0, 1로 변경해 줍니다.

작업 창으로 이동 후 홈 탭에서 실행시켜 봅니다.

각속도에 의해 X, Y, Z 방향으로 굴러다니는 킬 블록이 완성되었습니다.

움직이는 킬 블록2

파트를 삽입하여 크기조절하여 막대 형태로 만듭니다
코너쐐기 킬블록을 선택 후 모델 탭에서 만들기-밧줄을
클릭하여 코너쐐기에서 막대로 연결합니다. 막대는 앵커로
고정시켜 둡니다.

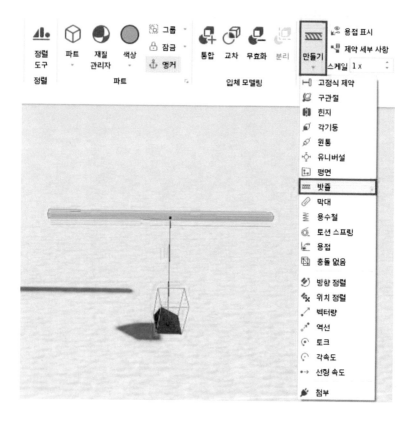

이동버튼 아이콘을 이용하여 코너쐐기를 옆으로 이동시키고 코너 쐐기 파트 아래 RopeConstraint를 클릭합니다. 속성 창에서 Thickness 값을 0으로 변경합니다. 로프가 보이지 않게 됩니다.

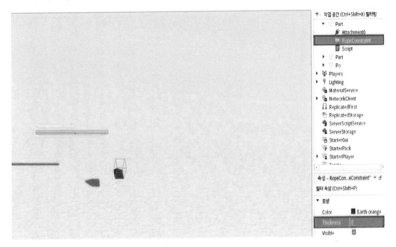

막대 파트도 속성 창에서 Transparency 값을 1로 변경하여 막대도 투명하게 합니다. 작업 창의 홈탭에서 실행시켜 봅니다. 움직이는 킬 블록이 되었습니다.

코너쐐기에 Fire효과를 주고 투명하게 처리해 봅시다.

2-4 히든브리지 만들기

파트를 하나 생성하여 다리 형태로 만들어 봅시다.
점프하기 쉬운 위치로 공중에 살짝 띄운 후 앵커로 고정시
킵니다. 스크립트 창을 삽입하여 다음과 같이 코드를 입력
합니다.

```
1   local Part = script.Parent
2
3 ▼ while true do
4       Part.BrickColor = BrickColor.Random()
5       Part.Transparency = 0
6       Part.CanCollide = true
7       wait(5)
8
9       Part.Transparency = 1
10      Part.CanCollide = false
11      wait(3)
12  end
```

색상이 자동으로 변하며 5초간 나타났다 3초간 사라진 후 다시 나타나는 히든 브리지 코드입니다.

나타났다 사라지는 시간은 wait()안의 숫자를 변경하여 빨리 또는 느리게 속도를 조정할 수 있습니다.

또한 다리가 나타났을 때는 충돌 값이 true라서 다리 위에 올라서 있지만 사라지면 충돌 값이 false라서 다리를 통과해 떨어지는 코드입니다. 킬블록에 Fire 효과를 주고 투명하게 처리하면 불만 날아다니며 킬 블록 역할을 합니다. 재미있는 게임을 만들어 봅시다.

킬블록을 이용한 점프맵 학생작품

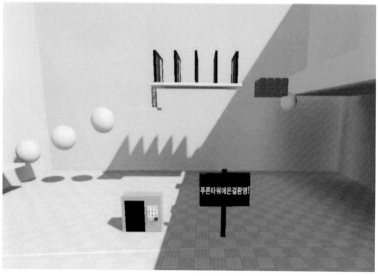

2-5 텔레포트 만들기

파트를 하나 만들어 크기를 조정하여 위로 올려 앵커로 고정합니다. 속성에서 Name를 gong으로 수정합니다. 왜냐하면 터치했을 때 gong이라는 파트위치로 이동시키기 위함으로 이름을 변경해줍니다.

파트의 속성 중 Transparency 값을 0.7로 하고 색상을 오렌지 색으로 변경합니다.

투명도를 0.7 정도로 변경하면 유리창 효과가 됩니다.

지면에 파트를 하나 더 만들어 색상을 변경한 후 스크립트를 추가하여 다음과 같이 코드를 입력합니다.

지면의 파트에 닿으면 공중 파트로 텔레포트 합니다.

```
1    local robot = script.Parent
2  ▼ script.Parent.Touched:Connect(function(aa)
3        local touchedHumanoid = aa.Parent:FindFirstChild("Humanoid")
4  ▼     if touchedHumanoid then
5            aa.Parent:MoveTo(game.Workspace.gong.Position)
6        end
7    end)
```

[코드설명]

local robot = script.Parent

-- 로봇을 나타내는 변수

script.Parent.Touched:Connect(function(aa)

-- 다른 물체와 충돌했을 때 실행할 함수

local touchedHumanoid = _

aa.Parent:FindFirstChild("Humanoid")

-- 충돌한 물체에 Humanoid가 있는지 확인

if touchedHumanoid then

-- Humanoid를 찾았다면

aa.Parent:MoveTo(game.Workspace.gong.Position)

-- 충돌한 물체를 gong 위치로 이동

　　end

end)

반대로 이동하는 텔레포트도 만들어 봅시다.

2-6 점프력 높이기

파트를 만들고 이름을 Jumpup으로 수정한 후 크기를 조
정 후 색상을 변경합니다.
스크립트를 추가하고 점프력을 높이는 코드를 입력.

```lua
1    local Jumpup = script.Parent
2  ▼ local function onTouch(otherPart)
3        local character = otherPart.Parent
4        local humanoid = otherPart.Parent:FindFirstChild("Humanoid")
5  ▼     if humanoid and humanoid.JumpPower <=50 then
6            humanoid.UseJumpPower = true
7            humanoid.JumpPower = 300
8            wait(6)
9            humanoid.JumpPower = 50
10       end
11   end
12   Jumpup.Touched:Connect(onTouch)
```

[코드설명]

변수 선언

Jumpup: 스크립트가 붙어있는 오브젝트를 나타내는 변수입니다.

character: 충돌한 물체의 부모 오브젝트를 나타내는 변수입니다.

humanoid: 충돌한 물체의 Humanoid 컴포넌트를 나타내는 변수입니다.

충돌 이벤트

Jumpup.Touched:Connect(onTouch): Jumpup 오브젝트가 다른 물체와 충돌했을 때 onTouch 함수를 실행합니다.

점프 기능

if humanoid and humanoid.JumpPower <=50 then

충돌한 물체에 Humanoid 컴포넌트가 있고,
JumpPower 값이 50 이하일 때 다음 코드를 실행합니다.

humanoid.UseJumpPower = true

Humanoid 컴포넌트의 점프 기능을 활성화합니다.

humanoid.JumpPower = 300

Humanoid 컴포넌트의 JumpPower 값을 300으로로함.

wait(6) 6초 동안 기다립니다.

humanoid.JumpPower = 50

Humanoid 컴포넌트의 JumpPower 값을 원래 값 (50)으로 되돌립니다.

Jumpup 오브젝트와 충돌하는 모든 물체의 JumpPower 값을 6초 동안 300으로 설정하는 기능을 구현합니다. 초를 수정하여 점프파워 유지 시간을 변경할 수 있습니다.

〈스크립트 페어런트와 아더파트 페어런트의 차이점〉

구분	스크립트 페어런트	아더파트 페어런트
의미	스크립트가 붙어있는 오브젝트	충돌한 물체의 부모 오브젝트
접근 방법	script.Parent	otherPart.Parent
이 코드에서 변수	Jumpup	character

2-7 스피드 높이기

파트를 만들고 이름을 Speedup으로 수정한 후 크기를 조정 후 색상을 변경합니다.

스크립트를 추가하고 점프력을 높이는 코드를 입력합니다.

```
1    local Speedup = script.Parent
2  ▼ local function onTouch(otherPart)
3      local humanoid = otherPart.Parent:FindFirstChild("Humanoid")
4  ▼    if humanoid and humanoid.WalkSpeed <=16 then
5          humanoid.WalkSpeed=50
6          wait(2)
7          humanoid.WalkSpeed = 16
8        end
9    end
10   Speedup.Touched:Connect(onTouch)
```

2-8 옷 만들어 등록하기

옷을 만들어 등록하는 것은 크리에이터 페이지에서 등록을
할 수 있습니다. 크리에이터 페이지는 로블록스 사이트 내
에 있습니다.
옷을 만들어 등록하기 위해서는 로블록스 사이트에 접속
해야 합니다. https://create.roblox.com

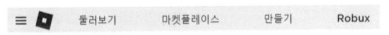

만들기에 클릭합니다.
작품에 클릭 - 아바타 아이템에 클릭합니다.

클래식 티셔츠, 티셔츠, 팬츠 3가지 종류를 만들어 올릴
수 있으며 클래식 티셔츠는 템플릿 없이 이미지만 올리는
단순한 기능으로 무료로 올릴 수 있지만 티셔츠와 팬츠는

템플릿을 다운받아 제작하며 로벅스가 있어야 올릴 수 있습니다. 클래식 티셔츠로 올린 제품도 판매하고 싶다면 Roblox Premium멤버십을 구매해야 팔 수 있습니다.

2-9 캐릭터 속성 – 옷 갈아 입히기

도구상자를 꺼내어 플러그인으로 맞추고 Load Character 로 검색한 후 설치합니다.

설치가 끝나면 플러그인 탭에 아이 콘이 나타납니다.

< 전체 플러그인 / 다음에 대한 검색 결과: **load character**

불러내고 싶은 친구의 계정을 입력한 후 Spawn R15버튼을 클릭해서 캐릭터를 불러냅니다.

원하는 위치에 친구 캐릭터를 배치한 후 블록파트를 캐릭터 앞에 배치시킵니다.

블록파트에 스크립트를 삽입하고 블록에 달으면 친구 캐릭터의 옷과 같은 옷을 입는 코드로 입력해 봅시다.

블록 파트 색상도 알맞게 변경해 놓습니다. 이때 중요한 것은 친구 캐릭터를 불러와서 친구 캐릭터가 입은 옷의 id 번호를 알아야 하므로 속성 창에서 친구가 입은 shirt와 Pants의 id를 복사해 놓습니다.

script 입력시 숫자 부분만 입력하면 됩니다.

```
1    local spi=script.Parent
2
3  ▼ local function replaceClothes(otherPart)
4
5        local character = otherPart.Parent
6
7  ▼     if character then
8            local shirt = character:FindFirstChildOfClass("Shirt")
9            local pants = character:FindFirstChildOfClass("Pants")
10
11 ▼        if not shirt then
12               shirt = Instance.new("Shirt", character)
13           end
14
15 ▼        if not pants then
16               pants = Instance.new("Pants", character)
17           end
18
19
20           shirt.ShirtTemplate="rbxassetid://102          "
21           pants.PantsTemplate="rbxassetid://105          "
22       end
23   end
24
25   spi.Touched:Connect(replaceClothes)
```

http://www.roblox.com/asset/?id=1021*****

http://www.roblox.com/asset/?id=1051*****

id 뒤의 숫자만 복사해서 코드에 바꿔서 입력합니다.

```lua
1     local spi=script.Parent
2
3   ▼ local function replaceClothes(otherPart)
4
5         local character = otherPart.Parent
6
7   ▼     if character then
8             local shirt = character:FindFirstChildOfClass("Shirt")
9             local pants = character:FindFirstChildOfClass("Pants")
10
11  ▼         if not shirt then
12                 shirt = Instance.new("Shirt", character)
13             end
14
15  ▼         if not pants then
16                 pants = Instance.new("Pants", character)
17             end
18
19
20             shirt.ShirtTemplate="rbxassetid://102        "
21             pants.PantsTemplate="rbxassetid://105        "
22         end
23     end
24
25     spi.Touched:Connect(replaceClothes)
```

[코드 해석]

1. 변수 설정

local spi = script.Parent: 현재 스크립트가 있는 파트 (트리거 또는 충돌 파트)에 대한 참조를 spi라는 변수에 저장합니다.

2. 함수 정의

local function replaceClothes(otherPart)

otherPart이라는 하나의 인수를 받는 replaceClothes라는 함수를 정의합니다.

3. 함수 로직

3.1 캐릭터 접근

local character = otherPart.Parent

터치된 파트 (otherPart)가 속한 캐릭터 모델을 가져옵니다.

3.2 기존 옷 확인

local shirt = _
character:FindFirstChildOfClass("Shirt")

캐릭터 내에서 기존 셔츠 객체를 찾습니다.

local pants = _
character:FindFirstChildOfClass("Pants")

바지도 같은 방식으로 찾습니다.

3.3 옷 누락 시 생성

if not shirt then ... end

셔츠가 없으면 캐릭터 모델 안에 새로운 셔츠 객체를 만들고 배치합니다.

if not pants then ... end

바지도 없는 경우 동일한 프로세스를 수행합니다.

3.4 새 템플릿 적용

shirt.ShirtTemplate = "rbxassetid://85577****"

셔츠 템플릿 ID를 지정된 에셋으로 변경합니다.

pants.PantsTemplate = "rbxassetid://86783****"

바지도 동일하게 처리합니다.

4. 트리거 연결

spi.Touched:Connect(replaceClothes)

replaceClothes 함수를 spi 파트의 Touched 이벤트에 연결합니다. 즉, spi 파트가 무언가에 의해 터치될 때마다 replaceClothes 함수가 호출되어 터치한 캐릭터의 옷을 변경할 수 있습니다.

결론적으로 이 코드는 터치될 때 터치한 캐릭터의 셔츠와 바지를 특정 템플릿으로 변경하려는 트리거를 생성합니다. 캐릭터에 셔츠나 바지 객체가 없는 경우 처리하는 기능도 포함합니다.

친구들 캐릭터를 여러개 세워 놓고 앞에 파트를 터치하면 친구의 옷으로 갈아 입히는 패션 쇼 게임을 만들 수 있습니다.

2-10 휴머노이드 속성 - 체형 변화 시키기

휴머노이드 속성을 이용하여 버튼을 터치하면 버튼 뒤의
캐릭터처럼 체형을 변화시키는 코딩입니다.
캐릭터 속성에서 플러그인 탭에서 로드 캐릭터로 캐릭터를
하나 불러옵니다. 복제해서 옆으로 2개를 더 배치 합니다.

첫 번째 캐릭터를 선택한 상태에서 탐색기 창의 캐릭터 아
래 휴머노이드를 열어 HeadScale을 클릭합니다.

HeadScale 속성 창에서 Value 값을 3으로 수정합니다.
두 번째 캐릭터는 BodyHeightScale을 클릭하고
아래 속성 창의 Value 값을 3으로 수정합니다.

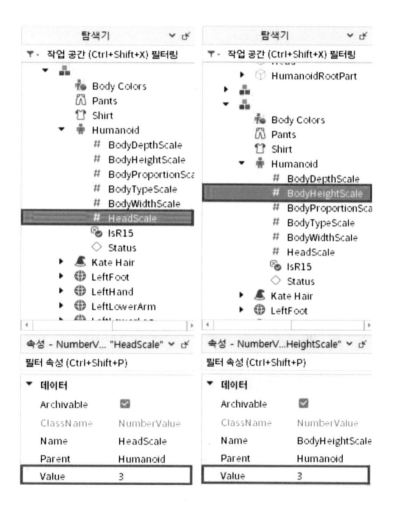

세 번째 캐릭터를 선택하고 BodyWidthScale을 클릭
아래 속성 창의 Value 값을 3으로 수정합니다.

캐릭터들 앞에 블록파트 3개
를 만들고 정상 체형으로 돌
아오는 파트를 따로 하나 만
듭니다.

각각의 블록파트에 이름을
bodysize1, bodysize2,
bodysize3으로 수정하고
정상체형으로 돌아오는 파트
의 이름은 bodysize0으로
수정합니다.

첫 번째 캐릭터 앞 bodysize1 블록 파트에 script를 추가하고 코드를 입력해 봅시다.

```
1    local bodySize1 = script.Parent
2
3  ▼ local function changeBody(otherPart)
4        local character = otherPart.Parent
5        local humanoid = character:FindFirstChildOfClass("Humanoid")
6
7  ▼    if humanoid then
8            local descriptionClone = humanoid:GetAppliedDescription()
9
10           descriptionClone.HeadScale = 3
11           descriptionClone.HeightScale = 1
12           descriptionClone.WidthScale = 1
13
14
15           humanoid:ApplyDescription(descriptionClone)
16       end
17
18   end
19   bodySize1.Touched:Connect(changeBody)
```

두 번째 bodysize2는 HeightScale 값을 3으로 나머지는 1로 수정합니다.

세 번째 bodysize3은 WidthScale 값을 3으로 나머지는 1로 수정합니다.

정상 체형으로 돌아오는 파트 블럭에는 모든 값을 1로 수정하여 정상 체형으로 돌아오게 합니다.

```
1    local bodySize0 = script.Parent
2
3  ▾ local function changeBody(otherPart)
4        local character = otherPart.Parent
5        local humanoid = character:FindFirstChildOfClass("Humanoid")
6
7  ▾     if humanoid then
8            local descriptionClone = humanoid:GetAppliedDescription()
9
10           descriptionClone.HeadScale = 1
11           descriptionClone.HeightScale = 1
12           descriptionClone.WidthScale = 1
13
14           humanoid:ApplyDescription(descriptionClone)
15       end
16
17   end
18   bodySize0.Touched:Connect(changeBody)
```

[bodySize1 코드 해석]

local bodySize1 = script.Parent

현재 스크립트가 연결된 객체를 bodySize1 변수에 저장합니다. 캐릭터의 몸 크기를 제어하는 역할입니다.

함수 정의:

local function changeBody(otherPart)

changeBody라는 함수를 정의합니다. 다른 객체가 이 스크립트가 부착된 객체와 충돌할 때 이 함수가 호출됩니다. otherPart 매개변수는 충돌한 객체를 나타냅니다.

함수 내용

local character = otherPart.Parent

충돌한 객체의 부모 객체를 가져와 character 변수에 저장합니다. 이 부모 객체는 일반적으로 게임 내 캐릭터를 나타냅니다.

local humanoid = _
character:FindFirstChildOfClass("Humanoid")

캐릭터에서 'Humanoid' 클래스의 자식 객체를 찾아 humanoid 변수에 저장합니다. 이 Humanoid 객체는 캐릭터의 신체 구조와 움직임을 제어하는 역할을 합니다.

if humanoid then

Humanoid 객체가 존재하는 경우에만 다음 단계를 진행합니다.

local descriptionClone = _
humanoid:GetAppliedDescription()

Humanoid 객체의 현재 외형 정보를 복사하여 descriptionClone 변수에 저장합니다.

descriptionClone.HeadScale = 3

머리 크기를 3배로 설정합니다.

descriptionClone.HeightScale = 1

몸 전체의 높이를 유지합니다.

descriptionClone.WidthScale = 1

몸 전체의 너비를 유지합니다.

humanoid:ApplyDescription(descriptionClone)

수정된 외형 정보를 Humanoid 객체에 적용하여 캐릭터의 외형이 변경되도록 합니다.

이벤트 연결:

bodySize1.Touched:Connect(changeBody)

bodySize1 객체에 대해 'Touched' 이벤트를 연결합니다. 이 객체와 다른 객체가 충돌하면 changeBody 함수가 호출됩니다.

캐릭터가 특정 객체에 닿으면 머리 크기를 3배로 증가시키면서 몸의 높이와 너비는 유지하는 기능을 구현합니다.

Humanoid 안의 다른 항목들도 수정해 보며 어떤 형태로 변화되는지 확인해 보세요.

2-11 아이템 만들기

3D 그림판의 사과 하나를 3D 가져오기로 가져옵니다.
(3D 가져오기 참조)

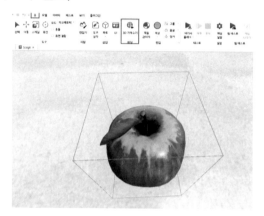

아이템의 크기가 아바타의 손에 맞는지 측정해야 하므로
아바타 탭의 리그빌더 리그에서 자신의 아바타를 꺼냅니
다.

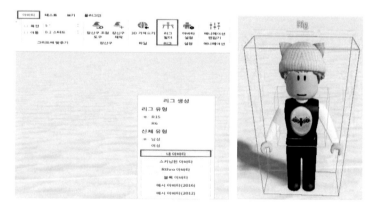

사과를 이동키를 이용하여 손에 대봤을 때 크기가 적당하도록 스케일키로 조정합니다.

핸들을 만들기 위해 블록파트 하나를 만들고 파트 이름은 Handle로 수정한 후 사과에 갖다 붙입니다.

탐색기에서 Handle 파트 아래로 사과를 이동시킵니다.
크기가 안 맞으면 스케일과 이동키로 맞춥니다.
Handle 파트를 Transparancy 1로 투명처리 합니다.

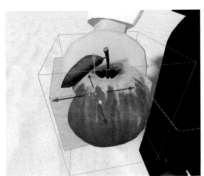

탐색기 창에서 Handle을 클릭하고 Shift키를 눌러 Handle과 사과 모두 선택합니다.

모델 탭의 만들기 아이콘을 눌러 Weld(용접)을 클릭하고 마우스 포인터에 선이 따라다니면 작업 창에서 사과를 클릭합니다. 그러면 사과와 핸들이 하나의 개체로 됩니다.

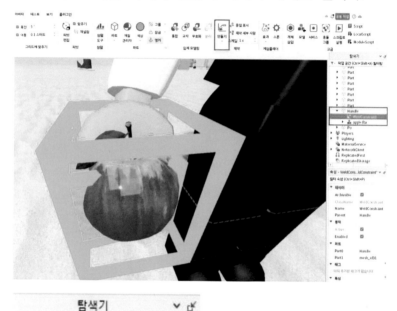

워크스페이스를 선택 후 까만 더하기를 눌러 Tool을 꺼내 줍니다.

 Tool이 나타나면
Handle을 Tool 아래로 넣
기 위해 우클릭 잘라내기
Tool선택 후 우클릭 「다음
에 붙여넣기」를 클릭 합니다.

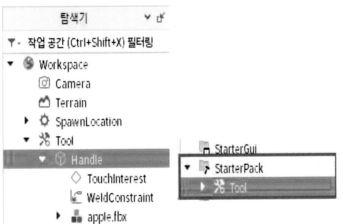

이번에는 다시 Tool을 StarterPack 아래로 넣어야 하므로
우클릭 잘라내기 StarterPack 선택 후 우클릭
「다음에 붙여넣기」를 합니다.

꺼내놓은 Rig는 삭제하고 실행시켜 봅니다.
아래 쪽에 Tool 아이콘이 생성됩니다.

Tool을 클릭하면 사과를 들고 다시 Tool을 클릭하면
사과가 사라집니다.

Tool을 클릭한 후 아래 속성 창에서 Name을 사과로 수
정합니다.

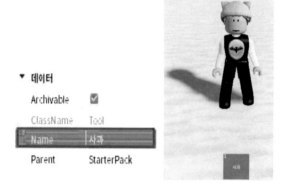

2-12 애니메이션 동작 주기

아바타 탭의 리그를 다시 한번 꺼냅니다.
아바타 탭의 애니메이션 편집기를 클릭합니다.

탐색기 창에서 Tool을 우클릭 복제해서 탐색기 창의 Rig
아래로 붙여넣습니다. 사과가 리그의 손에 붙게 됩니다.
리그를 클릭하면 애니메이션 제목입력이 나오는데 eating

으로 저장하겠습니다. 왼쪽 ...버튼을 눌러 우선순위를
Action(동작)으로 선택 합니다.

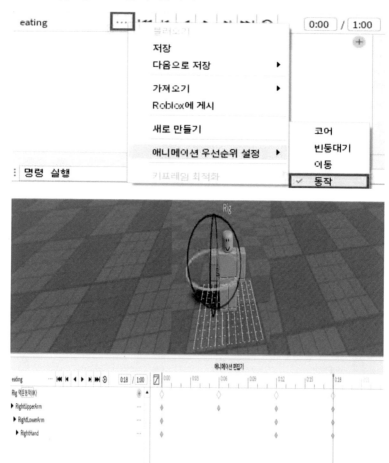

바를 움직여 회전 도구를 이용하여 팔 동작을 들어올리는
동작으로 조절하고, 다시 바를 이동 시켜서 팔꿈치를 구부

리는 동작, 다시 바를 움직여 입으로 갖다 대는 동작 제자리로 팔을 내리는 동작 까지 조절합니다. 다 끝났다면 다시 ...버튼을 눌러 Roblox에 게시를 클릭합니다.

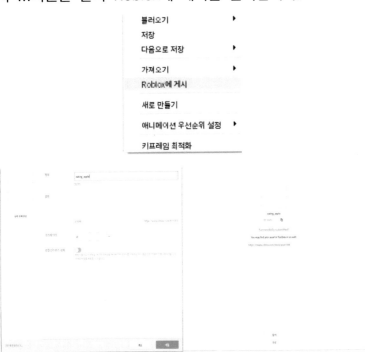

저장될 때 id번호를 복사해 놓습니다.

만약 저장될 때 id번호를 복사하지 않았다면 로블록스 플레이어에 접속해서 인벤토리 애니메이션에 등록되어 있는 애니메이션을 클릭하여 구성에 들어가 에셋 id복사로 가져와야 해서 번거롭습니다.

내 인벤토리

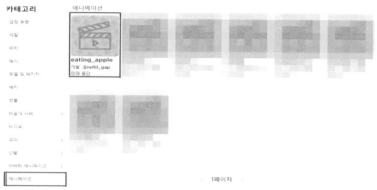

카테고리

애니메이션

eating_apple
개월 @refill_gap
판매 중단

감정 표현
얼굴
머리
액세
모델 및 파키(자)
패치
변율
바꿀개 시바
비디오
살피
신발
아바타 애니메이션
애니메이션

1페이지

StarterPack의 사과 툴에 클릭하여 까만더하기를 눌러 애니메이션 개체를 삽입합니다. 애니메이션을 클릭한 후 아래 속성 창에서 Animationid에 id번호를 입력합니다(숫자만)

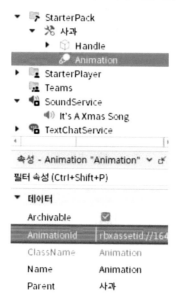

사과 툴에서 까만더하기를 눌러 LocalScript를 꺼내줍니다.

이곳에 애니메이션을 동작시키는 코드를 입력합니다.

```
local f = false
script.Parent.Activated:Connect(function()
if not f then
        f = true
        local YAnimation = _
game.Players.LocalPlayer.Character.Humanoid: _
LoadAnimation(script.Parent.Animation)
        YAnimation:Play()
        wait(0,3)
        f = false
end
end)
```

플레이 시켜 봅니다.

동작이 어색하면 처음부터 다시 애니메이션 동작을 순서대
로 작업해 봅시다.

2-13 라이브 애니메이션 제작하기

라이브 애니메이션은 짧은 동영상을 올려 애니메이션을 만드는 기능입니다. 작업에 앞서 동작 영상 파일을 준비합니다. 이 기능은 베타기능을 이용합니다. 파일에서 베타 기능을 클릭 후 라이브애니메이션 제작기를 찾아 클릭 후 저장합니다.

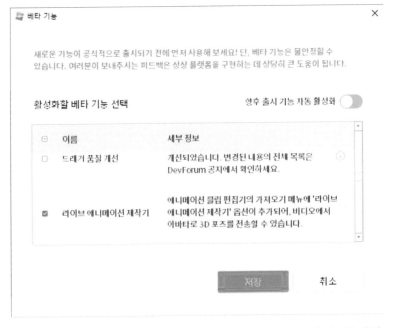

아바타 탭의 리그빌더 리그 아이콘을 눌러 자신의 아바타를 꺼냅니다. 아바타 탭의 애니메이션 편집기를 클릭 합니다.

애니메이션 이름을 저장하고 이름옆 ...단추를 눌러
가져오기 - 라이브 애니메이션 제작기를 클릭합니다.

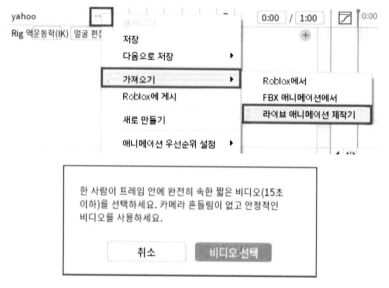

비디오 선택 버튼을 눌러 15초 이하의 혼자 찍은 동작 영
상을 선택해 줍니다.

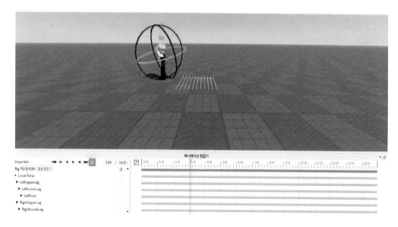

다 읽어 들이면 에니메이션이 완성됩니다.

...버튼을 눌러 Roblox에 게시를 누르고 저장될 때 id번호
를 복사해 놓습니다.

플러그인 탭에서 Load Character아이콘을 눌러 친구 캐
릭터를 하나 꺼냅니다. 속성 창에서 캐릭터 이름은 지웁니다.

탐색기 창에서 캐릭터를 클릭후 까만 더하기를 눌러
Animation을 추가합니다. 적어 놓았던 Animation id 번
호를 입력합니다. 캐릭터에 Script를 추가하여 코드를 입
력합니다.

```
local animation = script.Parent.Humanoid
animation:LoadAnimation(script.Parent.Animation):Play()
```

캐릭터는 앵커로 고정 시키지 않습니다. 실행해 봅시다.

2-14 동전에 부딪치면 점수가 올라가는 리더보드

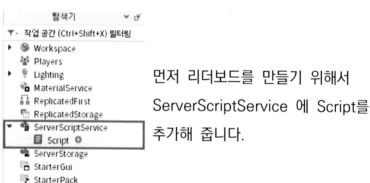

먼저 리더보드를 만들기 위해서 ServerScriptService 에 Script를 추가해 줍니다.

Script에 코드를 입력합니다.

```
 1  ▼ local function onPlayerJoin(player)
 2        local leaderstats = Instance.new("Folder")
 3        leaderstats.Name = "leaderstats"
 4        leaderstats.Parent = player
 5
 6        local points = Instance.new("IntValue")
 7        points.Name = "Points"
 8        points.Value = 0
 9        points.Parent = leaderstats
10
11
12    end
13
14    game.Players.PlayerAdded:Connect(onPlayerJoin)
```

원통 파트를 삽입하여 머리에 닿을 위치로 이동 후 동전처럼 만듭니다. 동전 색상은 오렌지 색, 효과에서 Sparkles 효과를 주고 흰색으로 지정합니다. 동전 파트 이름은 pointPart 로 설정하고 pointPart에 script를 추가하여 코드를 입력합니다.

플레이어가 동전에 닿으면 10점을 추가하고 동전이 2초 동안 사라진 후 다시 나타납니다. 그리고 동전은 계속 회전하는 코드도 만들어 보겠습니다.

이미 부딪쳤는지 확인하는 코드가 없다면 머리가 닿았을 때마다 점수가 계속 올라가는 현상이 발생합니다.

```
1    local pointPart = script.Parent
2    local hitCooldown = false
3    local Players = game:GetService("Players")
4
5  ▾ script.Parent.Touched:Connect(function(hit)
6        -- 부딪힌 오브젝트가 플레이어 캐릭터인지 확인
7  ▾    if hit.Parent:FindFirstChild("Humanoid") then
8            -- 플레이어 정보 가져오기
9            local plr = game.Players:GetPlayerFromCharacter(hit.Parent)
10           -- 이미 부딪쳤는지 확인
11 ▾         if hitCooldown then
12               return
13           end
14           hitCooldown = true
15           -- 10점 더하여 새로운 값을 계산
16           local currentValue = plr.leaderstats.Points.Value
17           local newValue = currentValue + 10
18           -- 새로운 값으로 설정
19           plr.leaderstats.Points.Value = newValue
20           -- 파트 삭제
21           pointPart.Transparency = 1
22           pointPart.CanCollide = false
23           -- 2초 후 다시 나타나도록 설정
24           wait(2)
25           pointPart.Transparency = 0
26           pointPart.CanCollide = true
27           hitCooldown = false
28           hit.Parent:Clone().Parent = script.Parent
29       end
30   end)
31   pointPart.Touched:Connect()
32   -- 동전 회전
33 ▾ while true do
34       wait()
35       script.Parent.CFrame = script.Parent.CFrame * CFrame.Angles(0, 0.01, 0)
36   end
```

```lua
local pointPart = script.Parent
local hitCooldown = false
local Players = game:GetService("Players")

script.Parent.Touched:Connect(function(hit)
        -- 부딪힌 오브젝트가 플레이어 캐릭터인지 확인
        if hit.Parent:FindFirstChild("Humanoid") then
            local plr = _
game.Players:GetPlayerFromCharacter(hit.Parent)
            -- 이미 부딪쳤는지 확인
            if hitCooldown then
                    return
            end
            hitCooldown = true
            -- 10점 더하여 새로운 값을 계산
            local currentValue = _
                plr.leaderstats.Points.Value
            local newValue = currentValue + 10
            -- 새로운 값으로 설정
        plr.leaderstats.Points.Value = newValue
            -- 파트 삭제
            pointPart.Transparency = 1
            pointPart.CanCollide = false
```

```
-- 2초 후 다시 나타나도록 설정
            wait(2)
            pointPart.Transparency = 0
            pointPart.CanCollide = true
            hitCooldown = false
            hit.Parent:Clone().Parent = _
            script.Parent
        end
end)
pointPart.Touched:Connect()
-- 동전 회전
while true do
        wait()
        script.Parent.CFrame = _
script.Parent.CFrame * CFrame.Angles(0, 0.01, 0)
end
```

[코드 해석]

local pointPart = script.Parent -- 동전 오브젝트

local hitCooldown = false -- 부딪힌 후 여부

local Players = game:GetService("Players")

-- 동전에 닿았을 때 실행

script.Parent.Touched:Connect(function(hit)

```lua
-- 부딪힌 오브젝트가 플레이어 캐릭터인지 확인
if hit.Parent:FindFirstChild("Humanoid") then
-- 플레이어 정보 가져오기
local plr = _
game.Players:GetPlayerFromCharacter(hit.Parent)
-- 이미 부딪쳤는지 확인
if hitCooldown then
return
end
-- 쿨다운 시작
hitCooldown = true
-- 현재 점수 가져오기
local currentValue = plr.leaderstats.Points.Value
-- 새로운 점수 계산
local newValue = currentValue + 10
plr.leaderstats.Points.Value = newValue
--동전 사라지게 하기
pointPart.Transparency = 1
pointPart.CanCollide = false
wait(2) -- 2초 후 다시 나타나도록 설정
-- 동전 다시 나타나게 하기
```

```
pointPart.Transparency = 0
pointPart.CanCollide = true
-- 쿨다운 종료
hitCooldown = false
-- 동전 복제하여 다시 생성
hit.Parent:Clone().Parent = script.Parent
end
end)
-- 동전 회전 부분
while true do
wait()
script.Parent.CFrame = script.Parent.CFrame * _
CFrame.Angles(0, 0.01, 0)
end
```

볼에 부딪치면 색상 볼 점수가 올라가는 리더보드

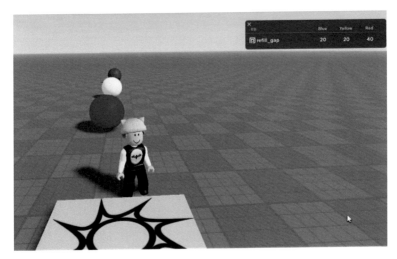

파란 볼, 노란 볼, 빨간 볼에 부딪치면 각 색상의 점수가
올라가는 게임을 만들어 봅시다.

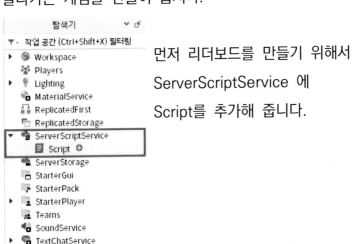

먼저 리더보드를 만들기 위해서
ServerScriptService 에
Script를 추가해 줍니다.

Script에 코드를 입력합니다.

```
1    local mps = game:GetService("MarketplaceService")
2
3  ▼ local function onPlayerJoin(player)
4        local leaderstats = Instance.new("Folder")
5        leaderstats.Name = "leaderstats"
6        leaderstats.Parent = player
7
8        local ball1 = Instance.new("IntValue")
9        ball1.Name = "Blue"
10       ball1.Value = 0
11       ball1.Parent = leaderstats
12
13       local ball2 = Instance.new("IntValue")
14       ball2.Name = "Yellow"
15       ball2.Value = 0
16       ball2.Parent = leaderstats
17
18       local ball3 = Instance.new("IntValue")
19       ball3.Name = "Red"
20       ball3.Value = 0
21       ball3.Parent = leaderstats
22
23   end
24
25   game.Players.PlayerAdded:Connect(onPlayerJoin)
```

구 파트를 이용하여 파란 볼, 노란 볼, 빨간 볼을 생성하고 파트 이름을 blue, yellow, red로 변경합니다

구 파트이기 때문에 앵커로 고정시켜 줍니다.

각각의 구 파트에 Script를 추가해 줍니다.

이 코드의 핵심은 이미 부딪쳤는지 확인하는 부분입니다.

확인하지 않으면 점수가 계속해서 증가하기 때문입니다.

```lua
1    local blue = script.Parent
2    local hitCooldown = false
3
4    script.Parent.Touched:Connect(function(hit)
5
6        -- 부딪힌 오브젝트가 플레이어 캐릭터인지 확인
7        if hit.Parent:FindFirstChild("Humanoid") then
8
9            -- 플레이어 정보 가져오기
10           local plr = game.Players:GetPlayerFromCharacter(hit.Parent)
11
12           -- 이미 부딪쳤는지 확인
13           if hitCooldown then
14               return
15           end
16
17           hitCooldown = true
18
19           -- 10점 더하여 새로운 값을 계산
20           local currentValue = plr.leaderstats.Blue.Value
21           local newValue = currentValue + 10
22
23           -- 새로운 값으로 설정
24           plr.leaderstats.Blue.Value = newValue
25
26           -- 파트 삭제
27           blue.Transparency = 1
28           blue.CanCollide = false
29
30           -- 3초 후 다시 나타나도록 설정
31           wait(3)
32           blue.Transparency = 0
33           blue.CanCollide = true
34
35
36           hitCooldown = false
37
38           hit.Parent:Clone().Parent = script.Parent
39       end
40   end)
```

```
1     local yellow = script.Parent
2     local hitCooldown = false
3
4   ▼ script.Parent.Touched:Connect(function(hit)
5
6          -- 부딪힌 오브젝트가 플레이어 캐릭터인지 확인
7   ▼      if hit.Parent:FindFirstChild("Humanoid") then
8
9              -- 플레이어 정보 가져오기
10             local plr = game.Players:GetPlayerFromCharacter(hit.Parent)
11
12             -- 이미 부딪쳤는지 확인
13  ▼          if hitCooldown then
14                 return
15             end
16
17             hitCooldown = true
18
19             -- 10점 더하여 새로운 값을 계산
20             local currentValue = plr.leaderstats.Yellow.Value
21             local newValue = currentValue + 10
22
23             -- 새로운 값으로 설정
24             plr.leaderstats.Yellow.Value = newValue
25
26             -- 파트 삭제
27             yellow.Transparency = 1
28             yellow.CanCollide = false
29
30             -- 3초 후 다시 나타나도록 설정
31             wait(3)
32             yellow.Transparency = 0
33             yellow.CanCollide = true
34
35
36             hitCooldown = false
37
38             hit.Parent:Clone().Parent = script.Parent
39         end
40  end)
```

```lua
1    local red = script.Parent
2    local hitCooldown = false
3
4  ▼ script.Parent.Touched:Connect(function(hit)
5
6        -- 부딪힌 오브젝트가 플레이어 캐릭터인지 확인
7  ▼     if hit.Parent:FindFirstChild("Humanoid") then
8
9            -- 플레이어 정보 가져오기
10           local plr = game.Players:GetPlayerFromCharacter(hit.Parent)
11
12           -- 이미 부딪쳤는지 확인
13  ▼        if hitCooldown then
14               return
15           end
16
17           hitCooldown = true
18
19           -- 10점 더하여 새로운 값을 계산
20           local currentValue = plr.leaderstats.Red.Value
21           local newValue = currentValue + 10
22
23           -- 새로운 값으로 설정
24           plr.leaderstats.Red.Value = newValue
25
26           -- 파트 삭제
27           red.Transparency = 1
28           red.CanCollide = false
29
30           -- 3초 후 다시 나타나도록 설정
31           wait(3)
32           red.Transparency = 0
33           red.CanCollide = true
34
35
36           hitCooldown = false
37
38           hit.Parent:Clone().Parent = script.Parent
39       end
40   end)
```

로블록스_코딩교실

2-15 지형편집기 - 섬 만들기

로블록스 스튜디오 - 새로만들기 - Baseplate 선택

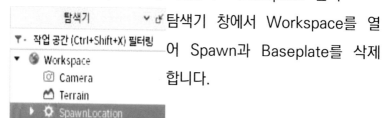 탐색기 창에서 Workspace를 열어 Spawn과 Baseplate를 삭제합니다.

허공이 된 상태에서 홈 탭의 편집기를 꺼내 작업을 해봅시다. 편집 탭 - 그리기 - 브러시 (구 선택) - 베이스크기는 24 만약 크기가 크다면 더 작게 만드셔도 됩니다. 재질은 모래 선택 후 허공에 클릭

모래 구가 만들어 지면 평탄화 작업을 시작합니다.

평탄화 – 브러시(구) – 베이스크기 12 – 평탄화모드 3번 –
고정된 평면 클릭 후 클릭 여러번으로 평탄화 작업을 합니다.

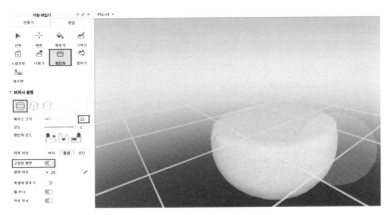

베이스 크기를 2로 수정하고 추가와 빼기 그리고 다양한
재질로 클릭하면서 자연 경관이 좋은 섬을 만들어 봅시다.

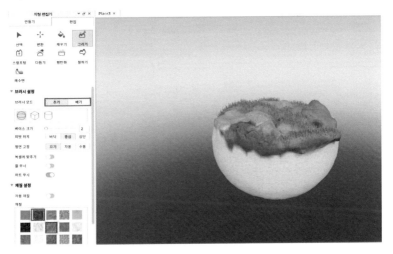

채우기 클릭 – 크기를 조정 – 재질은 물을 선택 – 적용

채우기에서 크기 조절이 잘 안되면 그리기를 클릭했다가 다시 채우기를 클릭하면 크기 조절 버튼과 이동버튼이 잘 듣습니다.

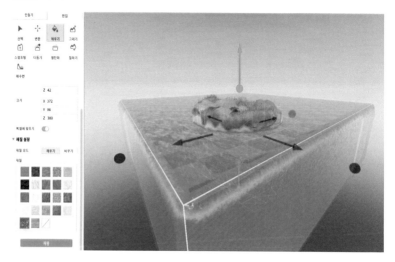

지형 편집기를 끄고 모델 탭의 스폰을 섬 중앙에 배치해 봅시다.

건너편에 섬 하나 더 만들고 히든브리지를 만들어 섬 탈출 게임을 만들어 봅시다. 8초안에 건너야 하는 히든브리지와 좀비를 등장시킨다면 더욱 재미있는 게임이 될 것입니다.

지형편집기와 배열 활용 – 히든 브리지

새로 만들기에서 Flat Terrain을 선택해 줍니다.
홈 탭에서 편집기 클릭 간단한 물만 생성해 보겠습니다.
편집 탭의 채우기- 물을 선택 후 적용 – 물 크기를 드래
그로 그려준 후 – 한번 더 적용 버튼

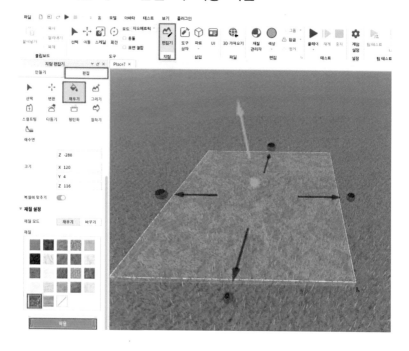

물이 채워지면 높이를 살짝 아래로 조정하여 맞춰 줍니다.

모델 탭에서 스폰을 하나 생성 하고 블록 파트를 생성하여
색상과 재질을 나무 다리로 만듭니다.

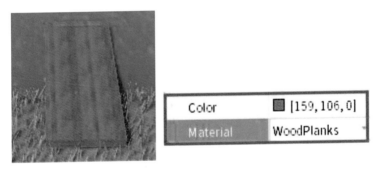

Color	■ [159,106,0]
Material	WoodPlanks

파트 이름은 Stair_1으로 입력합니다.

이 파트를 3번 더 복제하여 이름을 Stair_2, Stair3,

Stair4로 각각 수정합니다.

Workspace에 마우스 포인터를 올리면 나타나는 까만 더하기에서 Folder를 하나 삽입 한 후 이름을 Stair로 수정하고 Stair1 ~ Stair4를 드래그해서 폴더 안으로 넣습니다. 파트를 하나 더 생성하여 switchStair 라고 이름을 변경합니다.

switchStair에 script를 추가하고 코드를 입력합니다.

```
1    local switchStair = script.Parent
2    local stair_1 = game.Workspace.Stair.Stair_1
3    local stair_2 = game.Workspace.Stair.Stair_2
4    local stair_3 = game.Workspace.Stair.Stair_3
5    local stair_4 = game.Workspace.Stair.Stair_4
6
7    local stairArray = {stair_1, stair_2, stair_3, stair_4}
8
9  ▾ local function showStair()
10 ▾     for i=1, #stairArray do
11            stairArray[i].CanCollide = true
12            stairArray[i].Transparency=0
13            wait(2)
14        end
15
16        wait(2)
17
18 ▾     for i = #stairArray, 1, -1 do
19            stairArray[i].CanCollide = false
20            stairArray[i].Transparency=1
21            wait(2)
22        end
23    end
24    switchStair.Touched:Connect(showStair)
```

switchStair 파트를 복제하여 건너 편에도 배치해 놓습니다. 실행해 봅시다.

[코드 해석]

스크립트는 "switchStair"라는 객체가 터치될 때 계단을 나타내는 기능을 구현합니다.

계단은 "Stair"라는 이름의 객체 하위에 위치한 "Stair_1" 부터 "Stair_4"까지 4개의 개별 객체로 구성됩니다.

주요 변수

switchStair: 기능을 시작하는 객체

stairArray: 4개의 계단 객체를 저장하는 배열

showStair(): 계단의 표시 여부와 충돌 여부를 제어하는 함수

stairArray에 저장된 각 계단 객체에 대해 다음을 수행합니다.

CanCollide 속성을 true로 설정하여 계단을 물리적으로 견고하게 만듭니다.

Transparency 속성을 0으로 설정하여 계단을 표시합니다.

2초간 대기합니다. / 2초간 멈춥니다.

계단 숨기기

stairArray를 역순으로 반복하며 각 계단 객체에 대해 다음을 수행합니다.

CanCollide 속성을 false로 설정하여 계단을 통과 가능하게 만듭니다.

Transparency 속성을 1로 설정하여 계단을 숨깁니다. 2초간 대기합니다.

코드는 게임의 작업 공간 내 "Stair"라는 이름의 부모 객체 하위에 "stair_1", "stair_2" 등의 이름으로 정의된 객체가 존재한다고 가정합니다.

배열을 사용하여 여러 계단 객체를 효율적으로 관리합니다.

wait() 함수를 사용하여 동작의 타이밍을 제어하여 시각적으로 매력적인 시퀀스를 만듭니다.

Touched 이벤트는 switchStair와의 물리적 상호 작용에 따라 기능을 트리거합니다.

배열을 이용한 히든 브리지를 응용하여 다양한 장면에서 재미있게 만들어 봅시다.

좀비가 쫓아오는 길목에 만들면 더욱 흥미진진한 게임이 될 것입니다.

참고 게임

참고 사이트